Renaud

le petit renard

Renaud le petit renard
© Texte de Véronique Boisjoly. Tous droits réservés. 2012
© Illustrations de Katty Maurey. Tous droits réservés. 2012
© Les Éditions de la Pastèque

C.P. 55062 CSP Fairmount
Montréal (Québec) H2T 3E2
Téléphone : 514-502-0836
www.lapasteque.com

Infographie : Stéphane Ulrich
Révision : Sophie Chisogne

Dépôt légal : 2e trimestre 2012
Bibliothèque et Archives nationales du Québec
Bibliothèque et Archives Canada
ISBN 978-2-923841-21-2

Conseil des Arts **Canada Council**
du Canada **for the Arts**

Nous remercions de son soutien le Conseil des Arts du Canada,
qui a investi 24,3 millions de dollars l'an dernier dans les lettres et l'édition partout au Canada.

We acknowledge the support of the Canada Council for the Arts
which last year invested $24.3 million in writing and publishing throughout Canada.

Nous reconnaissons l'aide financière du gouvernement du Québec par l'entremise
de la Société de développement des entreprises culturelles (SODEC) pour nos activités d'édition.

Gouvernement du Québec – Programme de crédit d'impôt pour l'édition de livres – Gestion SODEC

Nous reconnaissons l'aide financière du gouvernement du Canada par l'entremise
du Fonds du livre pour nos activités d'édition.

CARIBOU
édition créative

Voici Renaud.

Beau garçon, assez tranquille,
Renaud est toujours bien habillé.

Même les jours de buanderie.

La plupart des gens portent leurs pires habits pour laver leurs morceaux favoris, mais pas lui.

La buanderie, c'est nouveau pour Renaud.
Depuis que son père a emménagé dans son
nouvel appartement, ils doivent se rendre

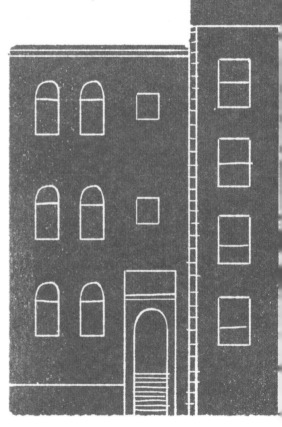

pour faire leur lessive à la buanderie
Les petites chaussettes, tenue par Monsieur Li.

Au début, Renaud n'était pas convaincu
d'aimer l'idée. Laver son linge sale

en famille, c'est tellement plus facile.

Mais peu à peu, les visites à la buanderie sont devenues l'excuse parfaite pour se sauver, avec son père, loin de la très jeune et trop bruyante Lola. Maintenant, Renaud a toujours hâte aux samedis-buanderie.

Il y a plusieurs choses interdites
à la buanderie.

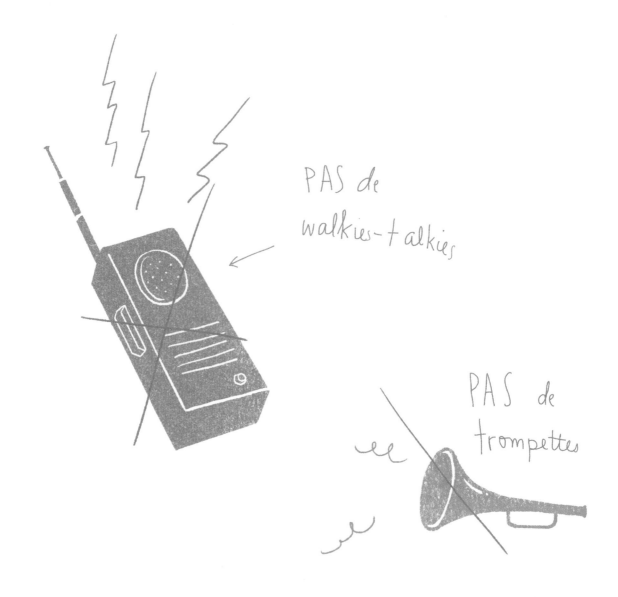

PAS de
walkies-talkies

PAS de
trompettes

Les buanderies sont des endroits où
on ne doit pas faire trop de bruit,
où l'on reste sage.

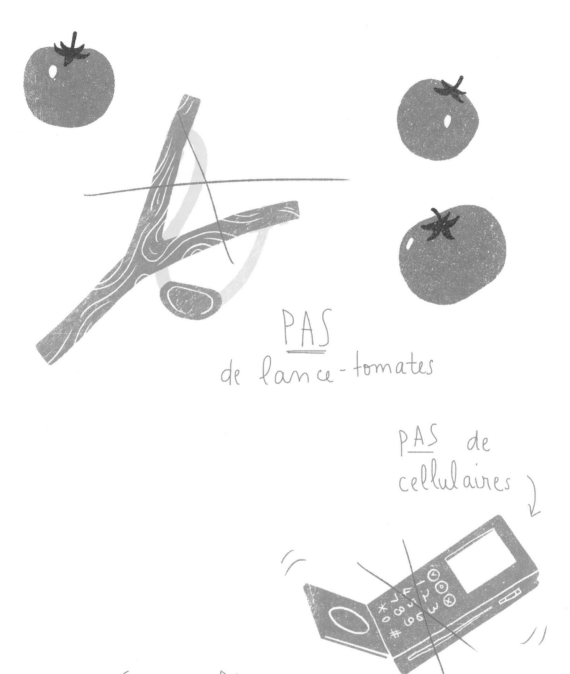

PAS
de lance-tomates

PAS de
cellulaires

SURTOUT PAS
de casseroles!!

Souvent, Renaud dessine pendant
que son père lit le journal.

Tout est calme le samedi, à la buanderie...

Sauf quand Lily Bottes de pluie est là!

cheveux trop bien placés

Ballon jaune HORRIBLE

bottes assorties à son ballon

Lily les bottes de pluie

Lily Bottes de pluie est une friponne.
Elle joue des tours quand elle s'ennuie.
Et les journées sont longues à la buanderie
de son grand-père, Monsieur Li.

Quand il approche de la buanderie, Renaud regarde partout pour voir si Lily est là.

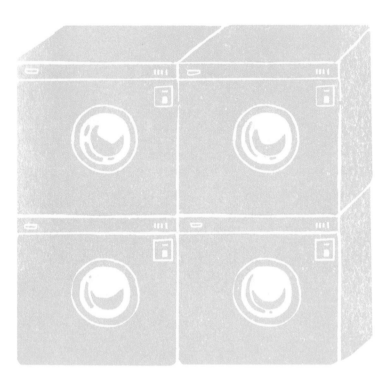

Madame Bernadette

← panier de Madame Bernadette

Il croise toujours les doigts, car si elle s'y trouve elle va lui jouer un tour. Chaque fois, c'est la même chose!

Mais elle n'y est pas. Renaud n'est qu'à demi soulagé, car même si Lily reste invisible, son flair de renard l'avertit qu'elle n'est pas très loin...

Comme d'habitude, Souris, le chat de Monsieur Li, lance un « Miaou ! »* en signe de bienvenue. Madame Bernadette les salue tout aussi chaleureusement, avant de se replonger dans son roman d'amour.

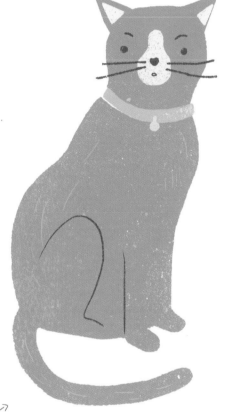

Pendant qu'ils trient leurs vêtements, Renaud et son père dressent la liste de ce qui rend leurs samedis-buanderie si amusants.

1

S'ATTAQUER AUX ACARIENS

AU SECOURS

SAUVE QUI PEUT !

Quoi de plus plaisant que des vêtements et des draps fraîchement lavés ?

MÉLANGER DES MOTIFS
ET S'IMAGINER DES HISTOIRES

3

CHAMPIONNAT
DE CHAUSSETTES
ORPHELINES

Quand Monsieur Li n'est pas là,

Renaud et son père s'amusent à lancer leurs chaussettes orphelines sur le panache de caribou installé au-dessus de la vitrine.

N° 4

MANGER
DES
YOGOURTS GLACÉS !

Pendant que les brassées tournent, le gourmand petit renard se régale de yogourts glacés aux fruits des champs.

Au retour, Renaud et son père s'assoient sur un banc et terminent tranquillement leurs yogourts en attendant la fin du cycle.

Hmm...
Ça laisse le champ libre à Lily Bottes
de pluie, qui sort de sa cachette pour
enfin jouer un tour à Renaud.

Lily saisit le contenant de savon
et en ajoute à la lessive des renards.
Elle en verse trop.

BEAUCOUP TROP!

Quelques secondes plus tard (DISONS 12 SECONDES), le savon déborde de la machine à laver et il y a des bulles PARTOUT.

Lily la coquine s'amuse bien!

Au moment où Renaud et son père rentrent dans la buanderie, Monsieur Li sort de son bureau, intrigué par les rires de Lily et le tapage des machines. Il réalise l'ampleur des dégâts... et aperçoit son chat Souris qui, effrayé par cette inondation savonneuse, tente de s'enfuir!

« Souris ! » crie-t-il très fort en espérant
le retenir.

Déboussolée par les évènements,
Madame Bernadette en oublie le nom
du chat et croit qu'il y a une vraie
souris dans la buanderie.
Elle trépigne, sautille et hurle, perchée
sur sa chaise.

« Une souris ?! Où est-elle ?! »

Renaud et son père se précipitent derrière
Monsieur Li pour l'aider à retrouver Souris.

Les passants sur le trottoir les regardent d'un air méfiant. Qui sont ces drôles de personnages qui appellent une souris comme on appelle un chat?

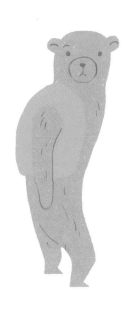

Pendant qu'ils ratissent le quartier,
à la buanderie le cycle du lavage se termine

et c'est maintenant le rinçage qui commence.

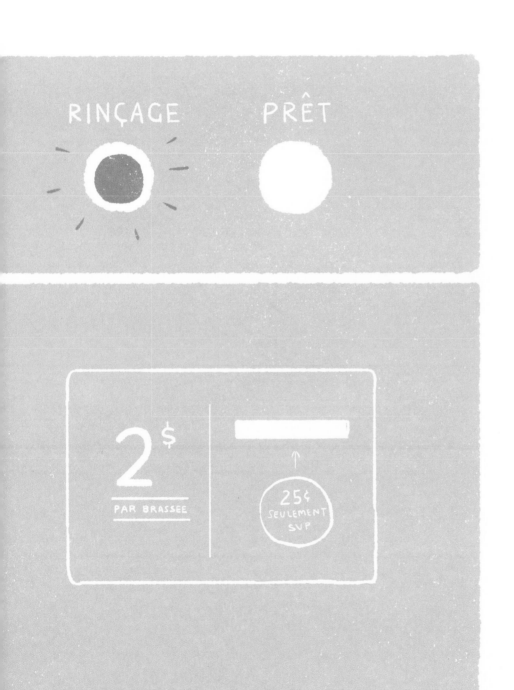

La tentation est trop forte...
Lily Bottes de pluie a encore
envie de rigoler !

En constatant le dégât qu'elle a causé, Lily se sent (ᵁᴺ ᴾᴱᵁ) coupable et saisit la vadrouille pour essuyer le plancher.

Son ménage terminé, elle remarque que Madame Bernadette est sortie aussi pour aider aux recherches, en laissant sur la table son panier de vêtements fraîchement pliés.

Quelques minutes plus tard, Renaud voit Lily sortir de la buanderie, l'air espiègle. Il se doute bien qu'elle manigance encore quelque chose, mais l'heure est aux chats disparus, pas aux gamines blagueuses.

On cherche,

on crie
«Souris!» à tue-tête,

Mais où peut-il se cacher ?

DISPARU!

Après un moment, Monsieur Li retourne
à la buanderie. Renaud et Lily décident
de rester dehors pour surveiller le retour
de Souris. On dirait deux amis
en punition...

Ils ne se parlent pas.

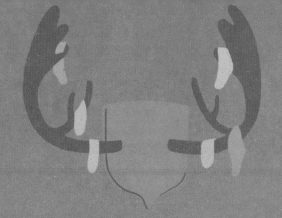

Les
PETiTES
chaussettes

Soudain Renaud entend un miaulement lointain... Ça vient d'en haut !

Le petit renard lève les yeux au ciel pour apercevoir enfin Souris, pétrifié sur le toit de la buanderie.

Pour le sauver, Renaud a une idée.

Il entre dans la buanderie et ressort
quelques secondes plus tard (DISONS 56 SECONDES) avec
son drap de lit, suivi par les adultes.
Ils tendent le tissu et appellent Souris
pour qu'il saute dedans.

Souris hésite un peu, puis
il prend son courage à quatre
pattes, ferme les yeux et
se laisse tomber dans le vide.

(POUR UN CHAT PEUREUX,
C'EST PLUTÔT COURAGEUX)

À peine atterri
au creux du drap,

le chat effrayé bondit et s'enfuit
à nouveau!

Heureusement, cette fois-ci, Souris est moins rapide que Monsieur Li, qui l'attrape juste à temps!

Tout le monde rigole. Même Renaud
et Lily sont heureux que cette
aventure se termine bien
pour le chat de
Monsieur Li.

RINÇAGE   PRÊT

BUANDERIE

Les
PETiTES
chaussettes

Une fois rentrés à la maison, Renaud le renard et son père ont droit à toute une surprise...

Tout au fond du sac, parmi
les derniers vêtements humides
à faire sécher,

Renaud découvre ...

les GROSSES BOBETTES

de Madame Bernadette!

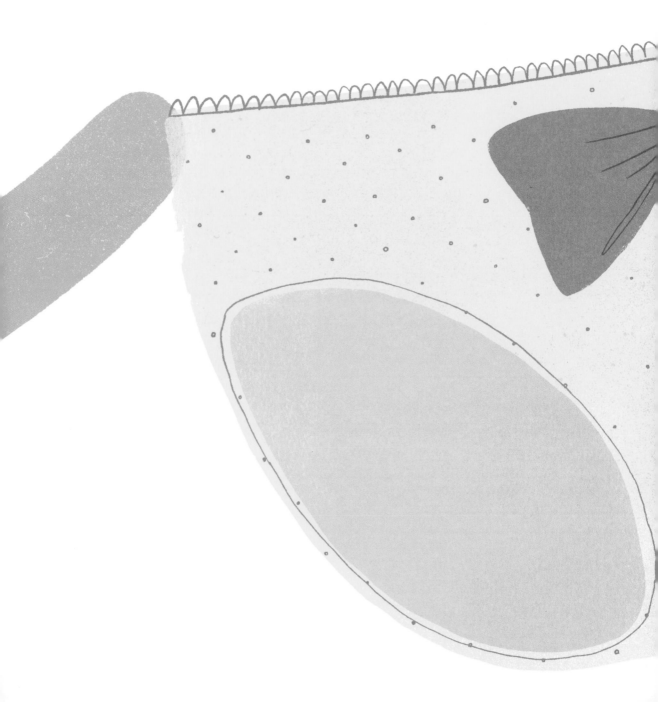

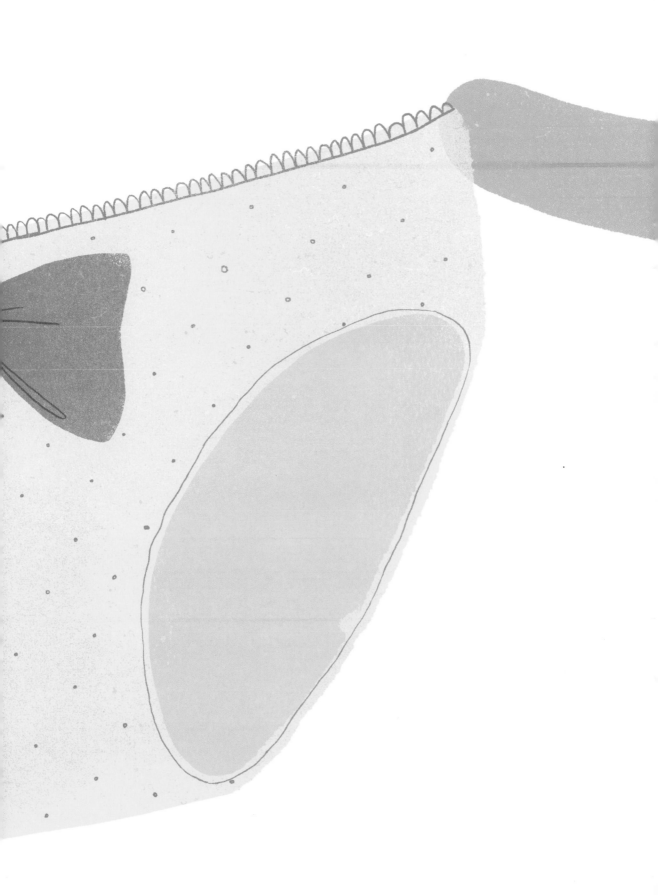

C'EST LILY!

À propos des auteures

Katty Maurey

Établie à Montréal, Katty Maurey est illustratrice et designer. Ses œuvres explorent les coulisses du quotidien, des hobbies et des traditions. En fille attentive, elle prend soin d'arroser ses plantes tous les matins. Elle a illustré *Quand j'étais chien* à La Courte Échelle en 2011.

Véronique Boisjoly

Véronique Boisjoly a grandi tour à tour sur une ferme, dans la faune urbaine et au cœur d'une forêt enchantée, où elle prend aujourd'hui soin d'un petit loup. Elle aime le caramel, le café, les rimes, les petites choses du quotidien et les histoires qui finissent bien. Elle a collaboré à P45.ca et cofondé URLer.tv, avant de lancer Caribou, édition créative, une maison spécialisée dans le développement d'histoires pour iPad.

Renaud le petit renard de Katty Maurey et Véronique Boisjoly a été achevé d'imprimer en février 2012 par l'imprimerie Tien Wah Press (PTE) à Singapour, pour le compte de La Pastèque, éditeur de livres depuis 1998.